Mae'r llyfr

**DREF WEN**

hwn yn perthyn i

. . . . . . . . . . . . . . . . . . . . . . . . . . . . .

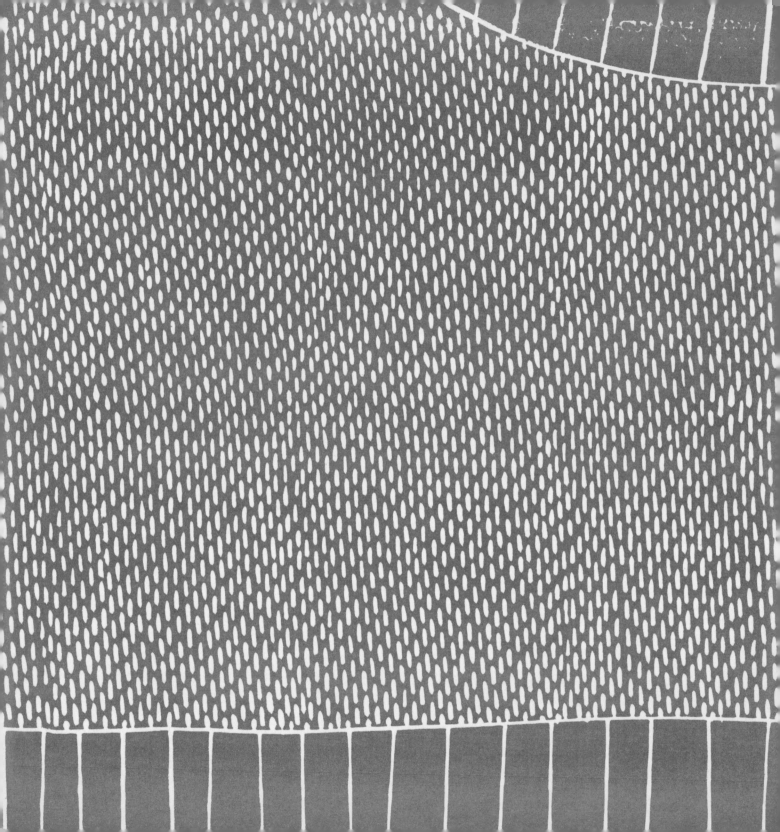

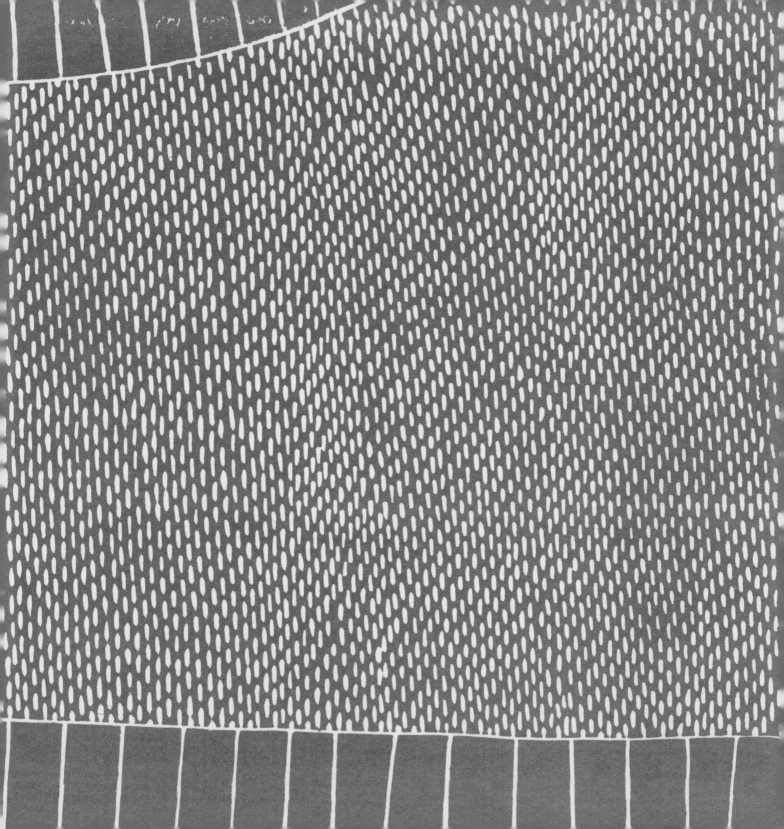

# I FY NAI YLFINGUR

## XX

Testun a lluniau © Morag Hood 2019
Y cyhoeddiad Cymraeg © 2020 Gwasg y Dref Wen Cyf.

Mae Morag Hood wedi datgan ei hawliau moesol.

Cedwir pob hawlfraint.
Cyhoeddwyd gyntaf yn Saesneg yn 2019
gan Two Hoots, argraffnod o Pan Macmillan
The Smithson, 6 Briset Street, Llundain EC1M 5NR
dan y teitl *Brenda is a Sheep*
Cyhoeddwyd yn Gymraeg 2020 gan Wasg y Dref Wen Cyf.
28 Ffordd yr Eglwys, Yr Eglwys Newydd,
Caerdydd CF14 2EA
Ffôn 029 20617860.
Cyhoeddwyd gyda chymorth ariannol
Cyngor Llyfrau Cymru.

Argraffwyd yn China.

MORAG HOOD

# DAFAD YW BLODWEN

## BLODWEN IS A SHEEP

Addasiad Elin Meek

DREF WEN W

# Defaid yw'r rhain.

These are sheep.

# Dafad yw hon hefyd.

This is also a sheep.

# Blodwen yw enw'r ddafad hon.

# Mae gan Blodwen siwmper wlân hyfryd iawn.

This sheep is called Blodwen. Blodwen has a very nice woolly jumper.

Mae Blodwen yn gwneud popeth
mae defaid yn ei wneud ...

Blodwen does all the things that sheep do ...

# ... oherwydd mai dafad yw Blodwen.

... because Blodwen is a sheep.

# Mae'r defaid yn dysgu llawer o gemau newydd oddi wrth eu ffrind, Blodwen.

The sheep learn lots of new games from their friend Blodwen.

**Fel dal,**

Like catch,

**hogi dannedd,**

teeth sharpening,

# a chwarae tic. Mae Blodwen yn dwlu ar chwarae tic.

and tag. Blodwen loves tag.

# Ond hyd yn oed os yw hi'n gwneud ei gorau glas ...

But no matter how hard she tries ...

# ... mae hi'n methu dal neb.

# Maen nhw bob amser yn dianc.

... she can never catch anyone. They always get away.

Mae'r defaid yn meddwl mai Blodwen yw'r ddafad orau maen nhw wedi cwrdd â hi erioed.

The sheep think Blodwen is probably the best sheep they have ever met.

Mae hi mor dal, mae ganddi ddannedd miniog braf,
ac mae ei gwlân wedi'i wau ac yn lliwgar.

Mae pob dafad eisiau bod yn union fel Blodwen.

She is so very tall, has nice pointy teeth, and her wool is all knitted and colourful.

All the sheep want to be just like Blodwen.

Ond am bethau eraill
mae Blodwen yn meddwl.
But Blodwen has other things on her mind.

Dwi'n ♥ Blodwen

RYSEITIAU CIG OEN

Mae hi'n gweithio'n galed ar ei rysáit saws mintys arbennig.

She is working hard on her special mint sauce recipe.

Dydy'r defaid erioed wedi profi saws mintys arbennig Blodwen, ond mae hi'n dweud wrthyn nhw ei fod yn flasus iawn.

Mae angen dod o hyd i'r union beth i'w fwyta gyda'r saws, dyna i gyd.

The sheep have never had Blodwen's special mint sauce but she tells them it is very tasty. You just need to find the right thing to eat it with.

**Drwy lwc, mae Blodwen yn gwybod yn union beth yw e. Mae hi'n paratoi i gael gwledd.**

Luckily, Blodwen knows just the thing.
She is getting ready for a feast.

**Mae'r defaid wedi cyffroi'n lân.**

The sheep are very excited.

Mae Blodwen yn dweud wrth y defaid am fynd i'r gwely'n gynnar, gynnar. Mae hi'n dweud y bydd syrpréis iddyn nhw yn y bore.

Blodwen tells the sheep to go to bed nice and early. She says there will be a surprise for them in the morning.

Syrpréis blasus dros ben.

A delicious surprise.

# Mae'n rhaid i Blodwen aros am amser hir iawn i'r defaid fynd i gysgu.

Blodwen has to wait a very long time for the sheep to go to sleep.

# Ond o'r diwedd maen nhw'n dechrau cysgu, fesul un.
# Mae Blodwen yn defnyddio'u chrafangau i'w cyfrif.

But at last they begin to nod off, one by one. Blodwen counts them on her claws.

**Un ddafad flasus,**

One yummy sheep,

**dwy ddafad flasus,**

two yummy sheep,

ChChCh

**tair dafad flasus ...**

three yummy sheep ...

ChChChChChChChCh

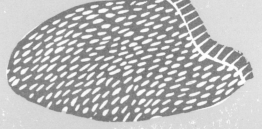

ChChCHChChChCh

Erbyn i Blodwen ddihuno, mae'r defaid wedi gwneud eu syrpréis eu hunain.

By the time Blodwen wakes up, the sheep have made a surprise of their own.

## Mae cawl porfa
There is grass stew

## a phastai porfa
and grass pie

## a byrgyrs porfa
and grass burgers

## a lasagne porfa
and grass lasagne

## a brechdanau porfa
and grass sandwiches

## a sosejys porfa.
and grass sausages.

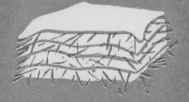

## Ac i bwdin, bisgedi porfa.
And for pudding, grass biscuits.

## Gyda saws blasus iawn i'w arllwys dros y cyfan.
With a delicious sauce to pour over it all.

# Nid dyma'r wledd roedd Blodwen wedi'i chynllunio.

This is not the feast Blodwen had planned.

**Ond wrth weld popeth mae ei ffrindiau wedi'i wneud drosti hi,**

But when she sees everything her friends have done for her,

BLODWEN

BLODWEN YW'R GORAU

**all Blodwen ddim peidio ag ymuno yn yr hwyl. Oherwydd, wedi'r cyfan ...**

Blodwen can't help but join in the fun.
Because, after all ...

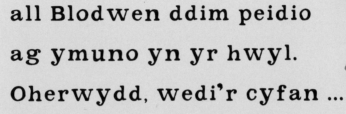

# Dafad yw Blodwen.

Blodwen is a sheep.

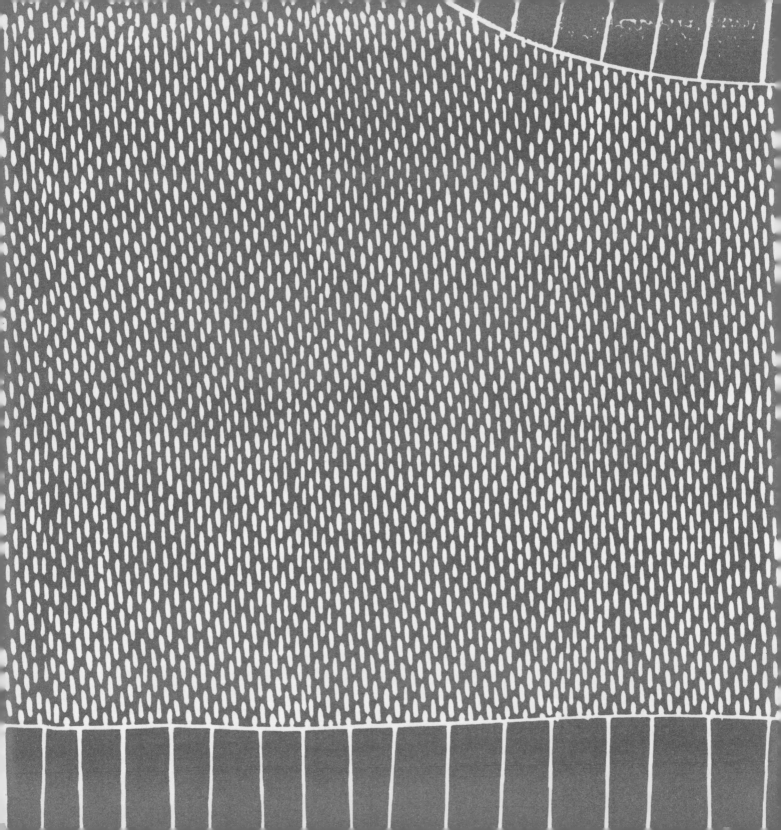

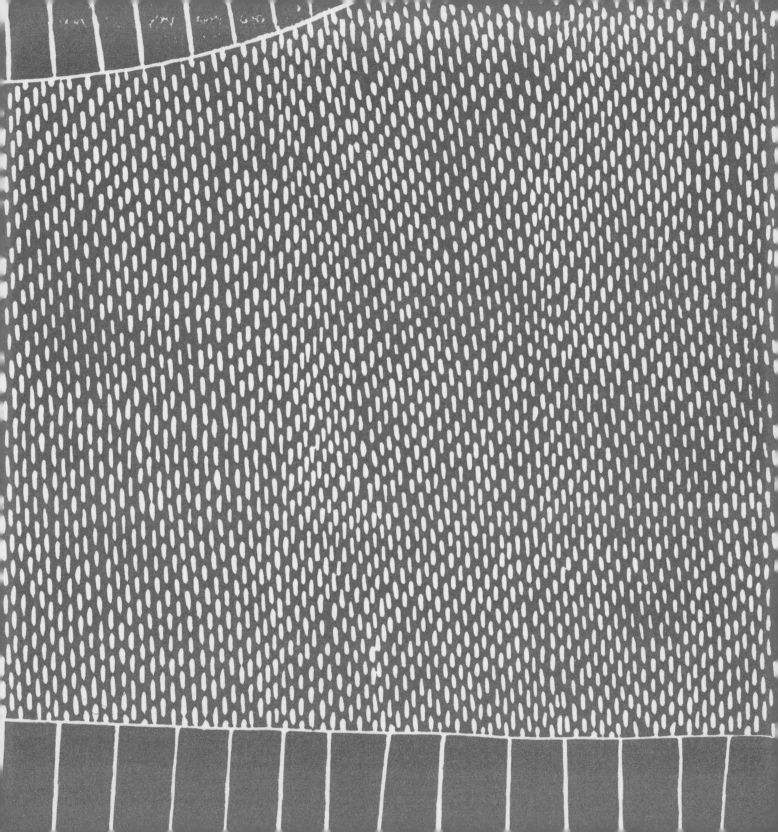

# SUT I DYNNU LLUN DEFAID
## HOW TO DRAW SHEEP

### I ddechrau, tynnwch lun cymylau fflyfflyd (neu siwmper wlân braf).

Start with some fluffy clouds (or a nice woolly jumper).

### Ychwanegwch bedair coes (a chynffon, efallai).

Add four legs (and maybe a tail).

### Rhowch ben i bob un.

Give them each a head.

## DEFAID!
### SHEEP!